¡HE PERDIDO MIS CALCETINES!

Eve Bunting

Ilustrado por **SERGIO RUZZIER**

Editorial EJ Juventud

Título original: HAVE YOU SEEN MY NEW BLUE SOCKS?

Texto: © Edward D. Bunting y Anne E. Bunting Family Trust, 2013

Ilustraciones: © Sergio Ruzzier, 2013

Publicado con el acuerdo de Clarion Books,
un sello de Houghton Mifflin Harcourt Publishing Company

© de la traducción castellana:
EDITORIAL JUVENTUD, S.A., 2013
Provença, 101· 08029 Barcelona
info@editorialjuventud.es
www.editorialjuventud.es

Traducido por Teresa Farrán

Primera edición, 2013

ISBN: 978·84·261·4017·3

DL B 17541·2013

Núm. de edición de E. J.: 12.688

Printed in Spain
A.V. C. Gràfiques, Av. Generalitat 39 · Sant Joan Despí (Barcelona)

Para Marlene y John Bunting, con cariño.
E. B.
Para Giev, Nava y Pearl.
S. R.

e perdido
los calcetines
que ayer
llevaba.

¿Los habré dejado en mi caja?

¿Dónde los habré metido?
¡No pueden haber desaparecido!

Se lo preguntaré a mi amigo el Zorro:
—He perdido mis calcetines y no sé cómo.
¿Los has visto? Son azules y nuevos.
Y apenas me los he puesto.

—No, no he visto nada.
¿Ya has mirado en tu caja?

¿Le has preguntado al señor Toro?
Él se fija en todo.

—Señor Toro, perdone que le importune:
¿Ha visto mis calcetines azules?

–¿Has mirado ya en tu caja?
¿Le has preguntado al Zorro? ¡Calla!
Si no estoy equivocado,
ayer vi unos calcetines junto al lago.

–¡Gracias, muchas gracias, señor Toro!
¡A ver si son esos calcetines que adoro!

—Son calcetines, pero son lilas y viejos;
los míos son azules y nuevos.

—Voy a procurar no deprimirme.
Me siento desnudo sin mis calcetines.

Preguntaré a los Pavos reales, igual saben algo.
Siempre andan pavoneándose arriba y abajo.

—¿Habéis visto mis calcetines, familia Pavo?
No aparecen en ningún lado.
He preguntado a mi amigo el Zorro
y también al señor Toro.
Son azules y nuevos,
y apenas me los he puesto.
Son muy bonitos.
¿Los habéis visto?

—¿Los has perdido?

—¿Dónde los habrás metido?

—¿Son como este que llevas escondido?

—¿Quieres decir si los llevo puestos?
¡No, no! Los azules no son estos.

—¡Pues yo veo algo azulado en este zapato mal atado!

—¡Los *llevo* puestos! ¡Qué tontería!
Estaba seguro de que los encontraría.
¡Sabía que no podían estar muy lejos,
pero no imaginé que los llevaba puestos!

—¡Adiós, pavos reales, amigos!
¡Os estoy muy agradecido!

—¡Encontré mis calcetines nuevos!
¡Me siento tan feliz y contento!